恰も魂あるものの如く

山本かずこ

ミッドナイト・プレス

目次

還暦の鯉　6
夏の写真　10
夏至　12
わたしの罪について〈懺悔の値打ちもない〉　16
春について　20
みえないこえは　きこえます　22
詩のいのち　28
いま、あなたが亡くなった　32
湯田　34
足袋　36
書きあげる　40
母の戦い　44
北の海で　48

のれんの話　52
女主人の理由　56
函館通信　62
新宿ゴールデン街びより　66
デュラスの映画で二度泣く　70
春　76
恰も魂あるものの如く　80

あとがきにかえて　84
もうひとつの「あとがきにかえて」　86
収録詩篇についての覚書　92

恰も魂あるものの如く

還暦の鯉*

還暦の鯉をよんでいると
さかなのにおいがしてきた。
ずっと前、
新聞の薔薇の花をみていると
薔薇のかおりがしてきたことがあったが、
きょうのは
還暦の鯉だった。
生きているとおもった。
生きているさかなのにおいだ。

釣り糸の先で
逃げたくて、はねている。
そのはねた水がわたしの顔にとびちっている。
「さわってみいや」
父が言った。
「こわいき、いやや」
とわたしが言った。
五歳だった。
父は、
還暦の鯉に同情はないだろう。
父が死んだのは、五十六歳だった。
わたしは、
「還暦」という言葉の釣り針にまずひっかかり、

いまは、水中にて、もがいているところか。
やがて、浮上する、そのしばらくのあいだ。

＊「還暦の鯉」井伏鱒二の随筆

夏の写真

おそろいの
赤いりんごの浴衣を着ていた
妹より
わたしのほうが
まだ
背が高かったころの夏休み

一枚の
写真が残っている

かけっこが大好きだった
妹のおでこには
転んだときにできた
すり傷がある

この夏を境に
妹の背丈はぐんと伸びてゆくのだけれど
そんなことは
まだ　だれも知らない

夏至

草いきれは　どこからやってきたのか
窓はない
遠い日の
雨の音が連れてきたのだ
海を渡って
中国から　やってきたのか
秋海棠《しゅうかいどう》の咲く
庭に　降りつづく雨
たしかに　愛した記憶がある　深い

緑の葉っぱの
持ち主は　だれなのか
このとき　雨の音をきいているのは
私だ　ほかの音は　きこえない
強くなる
一際
草いきれが　いま
音もなく
家のどこかが　ひらいたのだ
あらわれるものを
待っている　時間は　たっぷりとある　私は
これより　ながい　ながい　昼の
まんなかに

起《た》っている
坐っている
起っている
坐っている
起っている
坐っている
起っている……

疲れは　いらない
秋海棠もまた
私の　記憶の底に咲く
草いきれが

やってきた　その一日を咲く

わたしの罪について
〈懺悔の値打ちもない〉

わたしは
いつ罪を犯したのか
くわしいことは
北原ミレイがうたっている

あれは八月　暑い夜
すねて十九を　超えた頃
細いナイフを　光らせて
憎《にく》い男を　待っていた*

人を殺したのは
十九歳の
わたしだという

わたしは　その日
人生で
大きな罪を犯したらしい
くわしいことは
北原ミレイがうたっている

愛と云うのじゃ　ないけれど
抱かれてみたかった

わたし
捧げてみたかった
わたし
棄てられつらかった
わたし

そして
〈懺悔の値打ちもない〉
とまで
云っている

その心の
打ち捨てかたまでもが

なぜか
すべて
わたしのものだ

＊「懺悔の値打ちもない」（一九七〇年　北原ミレイ　作詞／阿久
悠　作曲／村井邦彦）

春について

ことしの春には
旅に出た
都内では
とうに散ってしまった
桜の花が　道の
あちこちで
満開だった
わたし（たち）は
北に向かって旅をしたのだ

途中　降り立った
サービス・エリアでは
花びらの舞う
雲ひとつない　青空の下で
桜の大木を見上げることをした

これが　ことしの
〈わたし（たち）の春〉　なのか

それとも
これが　ことしの
〈春のわたし（たち）〉　なのか

みえないこえは　きこえます

ありがとう　ありがとう　たずねてくれてありがとう。
わたしはぐるっとしゅういをみまわします。
ありがとう　ありがとう
みえないこえは　きこえます。
徳島県那賀郡木頭村西宇では
ゆずのきは　きょう　あたらしい。
けれども　ゆずのきは　だまったまま。
けいかいしているのかもしれません。

こえは八幡神社のほうから　とどいてくる。
ありがとう　ありがとう　たずねてくれてありがとう。
わたしはおとなようじてんしゃにのり
八幡神社のけいだいで
じてんしゃのりのけいこをした。
わかったことは　ただひとつ。
みじかいあしは　むぼう　だということ。
ながいあしより　もっと　むぼう。

八幡神社のかみさまは
けれども　むぼう　をいわなかった。
「むぼう」ということばを
しらなかったのだとおもいます。

わたしは　なんどもころび
ひざこぞうもちだらけだった。
けれども
八幡神社のかみさまの
いわないことばは　きこえません。

「みんなのように　じてんしゃにのれるようになりたい。
みんなのように　すいすいしょうがっこうにかよってみたい」

八幡神社のけいだいで
わたしのみじかい　りょうあしは
「むぼう」をしらないばっかりに
戦い…。

「むぼう」をしらないばっかりに
ちだらけになり……。
「むぼう」をしらないばっかりに
ひがくれて……。

いつのまにか
すがたがみえなくなった　わたしをみかけて
ありがとう　ありがとう　たずねてくれてありがとう。
八幡神社のかみさまの
みえないこえは　きこえます。
おとなになった　いまもなお
「むぼう」をしらないばっかりに

戦い、ちだらけになり、ひがくれて……。

詩のいのち

水俣は
柱時計にとっても
特別な場所だ
十二時がきたら　十二回
きちんと
鳴らなければならない

淵上毛氈が
とっくの昔に書いてある

〈僕が死んでも
　しっかり鳴っておくれ〉*

水俣では
進むことも
ましてや
遅れることなど　もってのほかだ

秋晴れの一日
車は水俣へと走っていった
鳴り響く
十二時のサイレン
それに応えて
家々の柱時計も

いっせいに時を打ちはじめた（にちがいない）

半世紀以上も前に 書かれた
〈柱時計〉という詩が
いまも
生きて
わたし（たち）を
迎えてくれる

＊「柱時計」（淵上毛錢）

いま、あなたが亡くなった

めをあけると　そこにたっていた　いつドアをあけたのだろう　みおぼえのある　トレンチコートの襟をたてているのは　いまが　いちばんさむいきせつだから？

あなたがなにを言おうとしているのか　わたしにはわかる　でもわたしはもういぜんのわたしではない　なにもほしくないし　なにもしたくない

あなたとおいひ　つきのひかりにつつまれたことはわすれてはいない　しかし　わたしはおおくのことをわすれてしまった　わたしがなにを言おうとしているのか　あなたにはわかる　ひとことも発

しないでもつたわるのはなぜ？　それよりも　わたしの居場所がわかったのはなぜ？

ここはわたしの夢の世界　わたしの夢の世界に　どんなふうにして入ってきたの？　許可したのはだれ？　教えてほしい　わたしはあなたをこまらせている　あるひ　わかれたいと言って　あなたをかなしませたことがあった　あのときとおなじ？

こまっているときの表情をしている　「もういちどだけあいたい」そう言ったあなたのことばを　いま　おもいだした　「ひとことわかれをつげるために」あなたはわたしに会いにきたのだ　夢の世界の入口をたずね　「ひとことわかれをつげるために」、いま、

湯田

私は湯田で何もしなかった　けれども私はそこにとどまり　病にもかからず　黒い服を着てすごす

黒い服しか持っていない　洋服箪笥《クローゼット》を開けてみる　私は湯田でも黒い服を着てすごした

家はない　ホテルのフロントではキーを受け取る

湯田に来る前の私を知っているとあなたは言う　とても痩せていた　はた目にも痩せすぎていて気の毒なぐらいであったと　あなたは誰かと人違いをしている

黄色の服を好んで着ていた　それは私ではない　しかし　訪ねて

きたあなたを　私は知っている　とうに死んでしまった幼馴染み
　私を訪ねて湯田までやってきたのか　信号は役立たずだ　笑いながら　あなたは赤でも駆けよってくる　フロントではキーも受け取らない
　一日じゅう　私は湯田で何もしなかった　黒い服を着た私は　闇に紛れて町を歩く　この町は「湯田」です　「湯田」でなければ何もはじまらない

足袋

旅の途中で呉服屋に入った　黒い板塀の　立派な構えのお店だった
しかし　看板はない　なぜ　ここが呉服屋だとわかったのだろう
街並みは　K市の帯屋町によく似ていて　どこか懐かしかったが
店は　まったく　未知であった
しかし　呉服屋だとわかったのは　なぜだろう　小さなことにこだ
わりながら　剝きだしの土間をみわたすと　前掛けをした人たちが
忙しそうに　立ち働いている
棚もいくつかあったが　足袋の棚はすぐにわかった　はじめて入っ
た呉服屋で迷わないのも不思議だったが

足袋の棚に直行すると　大柄な女の人が現れて
〈足袋をお探しですか?〉とたずねてきた
〈23センチをおねがいします〉
わたしが足袋の寸法を告げると　女の人は　首をかしげる
〈23センチをおねがいします〉
さらに言っても　伝わらないようだ
前掛けには雪をかぶった富士山の絵が描かれている
空は日本晴れである　立派な前掛けなのに　売る気がないのか
耳が遠いのかもしれない　わたしはもう一度
〈23センチをおねがいします〉
叫ぶように言ったところで　目が醒めた
ここは夢の世界で　旅人のわたし以外は　だれもがずっとこの場所
にいて　江戸時代をいまなお生きていたのか

だから23センチと言っても　わからなかった　文（もん）という単
位を告げたなら　江戸時代の商いを体験できたかもしれないのに
自らの時代に　なんの疑いも持たず　「センチ」にこだわった　ば
っかりに　商いは凍結したままだ

書きあげる

その人は耕している
黙々と耕している

その言葉が降りてきたとき
わたしは　すでに　夢から覚めていた

その人とはわたしのことなのか
まわりをみまわしたが
誰もいなかった

「収穫はあったの？」
その人に尋ねてみたいと思った
「みればわかるでしょう」
わたしにはわからなかった
わたしにはみえなかった
その人はたった一人だった
目の前には原稿用紙があった

「淋しくないの？」
その人に尋ねてみたいと思った
「みればわかるでしょう」
わたしにはわからなかった

わたしにはみえなかった

電話のベルが鳴ったので
わたしはその人から離れた
「原稿はいつごろ書きあがる?」
尋ねられて
わたしはすぐに答えなければいけなかった

「あすの朝には」
受話器を置いたとき
その人のことを探してみた
まわりをみまわしたけれど
誰もいなかった

「あすの朝には」
答えたのはわたしだった

母の戦い

或る日　母は　鬼の顔を描いた　白い障子に　朱の墨汁で　幾つも
幾つも　鬼の顔を描いた
ツノもあった　訪れた　誰もが　ぎょっとしたにちがいない

〈これは、何?〉
〈いったい、どうした!〉

今となっては　詳細は知らない　子どもであった　わたしは　何も
たずねなかった　鬼の顔は　ただ　描かれて　ただ　そこに在った

のだ

大人になって　耳なし芳一*を知ったとき　白い障子に　朱の墨汁で描かれた　鬼の顔を思い出した　母は　般若心経の代わりに　鬼の顔を描いたのだ　そう思った

そのとき母には世間体などなかった　夜な夜なやって来る　異形の者たち　守らなければならなかったのは　小さな子どもたちであった

般若心経の代わりに　白い障子に　朱色の鬼の顔を描きまくった
母は　連れ去ろうとする　異形の存在から　私たち子どもを　守り抜いた　世間体など　どうでもよかったのだ

＊「耳なし芳一」　『平家物語』の弾き語りである琵琶法師は、全身に般若心経を写し、怨霊から身を守ったとき、耳だけ写し忘れたために、怨霊に耳だけ持ち去られ、以来、耳なし芳一と呼ばれた。

北の海で

北の海では
浪が
空を呪うのだと
中也はいう

歯をむいてまでして
浪から
呪われる
空とは

いったいどんな空なのか
北の海にでかけていった

浪の呪いはつづいているのか
呪われつづけると
空は
いたみ
くるしみ
のたうちまわっているのか

二〇一九年の春
しかし
北の海は

なにごともないかのように
凪いでいた
太陽も顔を出して
わたしたちを迎えてくれた
空は美しく
上機嫌にみえる

呪いはどこにかくれているのか
探さないほうが
わたしたちの
身のためだ

のれんの話

いちどものれんをくぐらなかった
なかはどんなふうになっているのか
三十すうねんかん
そとをあるきながらおもった
（こともあった）

あるひ
そとをあるくと
のれんごと

きえていた
さらちになって
あとかたもない

くるひも
くるひも
そばやだったから
そばをうっていたのだろう

そとをあるきながら
かんがえた
いちどものれんをくぐらなかった
(わたしについて)

（いちどぐらい　くぐればよかった）
とおもう
わたしについて
かんがえた

女主人の理由

小川商店には
女主人がいた
着物をきていた
ように思うが
実際にはわからない
ずいぶん
年をとって見えたけれど
それも　わからない
小さな

わたしからすると
みんな　だれでも
年をとって　見えたからだ
女主人は　笑わなかった
笑った顔は　見なかった
はたして
女主人は　笑うことがあったのか
それも知らない
その頃は
気にもならなかったからだ

暗い竹林を抜けて
妹と手をつないで

小川商店に行ったことがあった
母の日のことだった
お小遣いを握りしめて
わたしたちはエプロンを買いに行った
白いエプロンを買ったけれど
お金は
足りたのか　知らない
足りずに
母があとから
払いに行ったのか
それも知らない
そのときも
女主人は　にこりともしなかった

着物をきた
女主人は
わたしたちには
笑顔を見せたことはなかった
母の日に
白いエプロンを買った
わたしと妹は
手をつないで
家に帰った
母はびっくりして
そのあと
よろこんでくれた

母の笑顔を合図のようにして
わたしと妹は
つないでいた手を　ぱっと離し
それぞれに　それぞれの
遊びに散った
にこりともしない
小川商店の
女主人から
解放された瞬間だった

この詩を書いていて
わかったことがある
女主人は

ケイカイしていたのだ
この村に
K市から
わたしたち一家は
引っ越してまもなかった
「よそ者」
と呼ばれる存在であった
女主人は
笑顔を見せるわけにはいかなかったのだ
女主人は
にこりともするわけにはいかない
理由があったのだ

函館通信

Kさんと函館山にのぼりました
（ここで石黒さんは自殺をした）
だけど　わたしは、Kさんに
「夜景がきれいでしょうね」
と言いました
ここは百万ドルの夜景で有名だから

そして、
きょうはよいお天気です

風は少し強いくらい
いつもはもっと
やさしい風が吹くのかもしれない
わたしは旅人だから
きょうの函館しか知りません
きのうのことも、
明日のことも、
まして、
石黒さんがやってきた日の、
三十年前の
函館のことも、
知らないままで
歩いてゆくことができるのです

函館では、
きょうは
よいお天気です

新宿ゴールデン街びより

その日はなぜか　新宿ゴールデン街びよりだった　そんな日があるのかどうかは　しらないけれど　わたしにとっては　その日であった　もうずいぶん行かなくなってひさしいのに　新宿ゴールデン街は　生きていて　わたし（たち）を手招きしている　呼んだのは私だよ　ごめんね　いそがしいのに　その人はそう言った　真紀さんだと　Kは言った　真紀さんがいるはずだからとKは言って　おみせのまえに立ったのだった　ほらね　新宿ゴールデン街に　生きて　そのみせはあった　けれどもはりがみもあった　はりがみにはお知らせがあって　真紀さんの死がお知らせされてあった

私が呼んだんだよ　ごめんねと真紀さんは言った　なんだかなつかしいね　ついきのうのようでもある　週末には伊藤さんといつも顔をみせてくれたね　あのころがほんとうになつかしい　いまもきこえてくるよ　「真紀さんってほんとうに美少年だったんですね」そのあと「美輪明宏みたいに」　私はそれはいつもよけいだとおもった　けれどどね

なにかわたしにできることはないかと　おくさんにたずねられて詩をかいてほしい　そう言った　だって　おくさんは詩人だろう伊藤さんからおしえてもらったことがある　おくさんにかいてもらった詩を　私はあの世にもっていくよ　どんな詩でもいい　よろこんで　みせにあった写真をみて言ったね

「真紀さんってほんとうに美少年だったんですね　美輪明宏みたいに」

ときどきそのこえを思い出したよ　美少年と言われたころの自分を思い出しながらね　呼んだのは　私　柳田真紀　きてくれて　ありがとう
そして　さようならは五つのひらがな[*]　よく伊藤さんがうたっていたね

＊「さようならは五つのひらがな」（一九六八年　黒沢明とロス・プリモス　作詞／星野哲郎　作曲／中川博之）は、伊藤秀臣さんがカラオケでよく歌った曲。Kは「風の盆恋歌」（一九八九年　石川さゆり　作詞／なかにし礼　作曲／三木たかし）を真紀さんの歌として、「兄弟船」（一九八二年　鳥羽一郎　作詞／星野哲郎　作曲／船村徹）を伊藤さんの歌として覚えた。

デュラスの映画で二度泣く

まわりの男たちは
いつのまにか
じゅんじゅんに
五十歳になっていった

私は少しだけ遅れて年をとる
たったひとつ　年を加えただけで
世界が変わったような気がしたことは
かつてなかった

けれども
男たちは　五十歳になったとき
目の前にあった
崖から飛び降りたのか
それとも
天にのぼったのか
私の目の前から
自らを消してしまった
（そして誰もいなくなってしまった）
たったひとつ
年を加えただけで
消えてしまうものがあるというのか

そんなある日
私も五十歳になった

空は青く
いつものように変わらなかった
風は
窓の外の洗濯物に優しく
ささやいている
私は崖から飛び降りはしなかった
私は天にものぼりもしなかった

八十一歳で死んでしまった
M・デュラスを描いた映画を見た時

どうしても泣けてしまう場面があった
同じ映画館に足を運んでたしかめる
すると
二度目もやっぱり泣けてしまう
四十九歳だったら私は二度も泣いただろうか
M・デュラスを演じる
ジャンヌ・モローの突然のほほえみ
舞い戻ってきた
三十八歳年下の愛人を迎えるときの
突然のほほえみに泣けてしまう
それが
私にとり
ひとつ年をとるということなのか

ｂｕｎｋａｍｕｒａの映画館を出て
若者たちで賑わう渋谷の街を
駅へと歩きながら
同じ場面で泣けてくるということ
私がすでに四十九歳ではなくて
五十歳になってしまったということを考えた

春

失われたきのうは
帰ってこない？
道ばたに咲く
タンポポの花に
問うてみた

答えがきこえないほど
さびしいことはない

タンポポの花は
じっと私をみつめるばかりだ

いつから
ここに咲いていていたの?
吹いてきた
風のせいではないだろう
問うてばかりの私には
そっと
首をかしげるしか仕様がない
遠慮がちに
右へ左へと
微かに揺れている

タンポポの花は

どうぞ
わたしに
たずねないでください

たずねられても
こたえられるはずないじゃないの
わたしには

みぎへひだりへと
ゆれながら
くびをかしげるばかりです

恰も魂あるものの如く*

水はやはり流れていた
長門峡にやって来る
ずいぶん前から　わたしは知っていた
水は流れているのだと
けれども
わたしはたしかめてみたかった
わたしが生まれる前から
その水は
恰も　魂あるものの如く

流れ流れてあったのか
わたしは　流れる水に向かって
話しかけてみたかった
手を差し出してみたかった
冬の寒い一日だったから
水に冷たさを感じたのは　わたしの方だ
恰も魂あるものの如く
流れる水は　けれども
何も言わずに
ただ　ただ　流れてゆくばかりだ
水が
指の間を潜りぬける　いま

ためらいさえも持たなかった
水は
わたしを過ぎるとき
恰も　魂あるものの如く

＊　恰も魂あるものの如く
中原中也「冬の長門峡」より

あとがきにかえて

十五年ぶりの詩集となります。今回、書き下ろしの詩が約半分をしめますが、これらの詩篇のほとんどは、昨年夏の終わりに書きあげたものです。急に詩が書きたくなったのです。

「君は、詩を書かなければいけないよ」と、折に触れて、そばで導き続けてくれた夫・岡田幸文（二〇一九年十二月九日没）の言葉に、時を得て、やっと応えられるときが来たような気がしました。

これまで、一冊（詩篇、およびエッセイを収録した『リバーサイ

ド　ホテル』）をのぞいて、すべての詩集は岡田が手がけてくれたものでした。そして、この詩集もまた、手がけてもらいたかったと、心から思います。

この詩集を、わたしを導き育ててくれた、岡田幸文に捧げます。愛と感謝をこめて。

二〇二〇年　七月二十九日

山本かずこ

もうひとつの「あとがきにかえて」

書いたのは
一九八九年のわたしだ
けれども
まるで三十年後に書くであろう
わたしの詩を
先まわりして書いたかのようだ
いまの
わたしの心を
知り尽くしている

いったい
こんな詩を
だれが書いたというのか……
なんどたずねても
答えは変わらない
書いたのは
わたし
三十年前に
すでに

わたしは感じる

それは
寒い冬を受け入れる行為に

どこか似ていはしないかしら
冬の闇を疾走する
時間の働きに思いを少しとどめてみている
わたしの後姿をみている
あなたの視線はこの世のものとは思われない
存在しないものを
だから
わたしは感じて
泣いたり
笑ったりしていた
寒くて長い冬の間じゅう
いつかのあなたは少し疲れた顔のまま
わたしに微笑みかけたあと
くるりと向きを変えて

わたしの前を歩き出した
そうやって
人の波に乗って遠くの方へと行ってしまった
あなたと
この世で再び会えるという保証はない
けれど
恥ずかしいから
わたしは呼ばない
遠去かるあなたを
あなたとは呼ばなかった
その夜の
わたしと
あなたの関係もまた
寒い冬の朝を

受け入れる行為によく似ている
そこには
何年の
というただしがきはない
だから
そこには
奥行きのようなものが発生したりしないかしら
発生してほしい
そう思う
わたしの心も恥ずかしい
よくみれば
その心のあたりだけが明るい
まるで
暖い陽射しのように

寒くて
長い冬のなかにあって

山本かずこ

収録詩篇についての覚書

「還暦の鯉」「夏の写真」「夏至」「みえないこえは　きこえます」「いま、あなたが亡くなった」「湯田」「書きあげる」「のれんの話」「函館通信」「新宿ゴールデン街びより」「デュラスの映画で二度泣く」、以上の詩篇は、「朝日新聞」「扉のない鍵」「北冬」「風化」「怪傑ハリマオ」「midnight press web」にそれぞれ発表いたしました。

「わたしの罪について〈懺悔の値打ちもない〉」「春について」「詩のいのち」「足袋」「母の戦い」「北の海で」「女主人の理由」「春」「恰も魂あるものの如く」は、書き下ろしたものです。

山本かずこ（やまもと　かずこ）
高知市生まれ。詩集に『渡月橋まで』『西片日記』『ストーリー』『リバーサイド ホテル』『愛の力』『愛人』『故郷』『最も美しい夏』『愛の行為』『失楽園』『不忍池には牡丹だけれど』『いちどに どこにでも』、随筆に『魂は死なない、という考え方』『日日草』、小説に『真・将門記　――桔梗一輪捧げ申し候』。

恰も魂あるものの如く

二〇二〇年九月二十三日発行
著者　山本かずこ
発行者　岡田和子
発行所　ミッドナイト・プレス
埼玉県和光市白子三-一九-七-七〇〇二
電話　〇四八（四六六）三七七九
振替　〇〇一八〇-七-二五五八三四
http://www.midnightpress.co.jp
印刷・製本　モリモト印刷

ISBN978-4-907901-24-0